MÔ-NAMOUR

Marcila maketatur Kristelékorineu

ISBN 978-2-211-21670-8
Première édition dans la collection *lutin poche* : avril 2014
© 2011, l'école des loisirs, Paris
Loi numéro 49 956 du 16 juillet 1949 sur les publications
destinées à la jeunesse : octobre 2011
Dépôt légal : juillet 2016
Imprimé en France par Clerc SAS à Saint-Amand-Montrond

Claude Ponti

MÔ-NAMOUR

les lutins de l'école des loisirs
11, rue de Sèvres, Paris 6ᵉ

Un jour, très matin tôt, Isée et ses parents partent en vacances.
Isée emmène Tadoramour qui dort avec elle à l'arrière de la voiture.

Soudain, la voiture freine. Un arbre Borderoutt dort au milieu de la chaussée.
Il est venu de loin pour s'installer sur un talus et donner de l'ombre aux voyageurs.
Mais, comme il était très fatigué, il s'est endormi en marchant.

La voiture explose contre l'arbre Borderoutt.
Isée, ses parents et Tadoramour sont projetés en l'air
avec les bagages.

Isée et Tadoramour retombent
avec les bagages
et les débris de la voiture.

Tadoramour s'écrase sur le sol.
Il a perdu sa tête. Isée se fracasse sur l'épave de la voiture.
Elle a le cerveau tout embrouillaminé.

Quand elle se relève,
elle voit des étoiles tournantes autour
de sa tête, et ses parents qui montent
toujours dans le ciel.

Ses parents montent
de plus en plus haut,
toujours sans arrêt,

rapetissant, disparaissant.
« Ils sont si haut qu'ils doivent…

… être morts »,
pense Isée.
Et elle pleure
toute penchée.

Alors Isée rassemble ses affaires
et fabrique un traîneau avec les débris
de la voiture.

Elle s'en va chercher un pays où elle sera mieux.
Elle traverse un long désert de pierres
et de roches à chapeau,

réfléchissant aux arbres Borderoutt qui sont
i bons sur les talus, et si mauvais sur la chaussée.

Elle pense aussi à ses parents,
mais se souvenir d'eux lui fait si mal qu'elle
cesse d'y penser, même sans faire exprès.

Elle arrive dans une forêt
où beaucoup d'arbres sont morts.
Fatiguée, elle s'arrête et décide de…

… s'installer là. Le bois de chauffage ne manque pas,
elle n'aura pas froid, ce qui est très important
quand on est orphelin.

Isée se construit une solide maison, avec un portillon et une lucarne pour voir la couleur du ciel, la forme des nuages et sentir le vent.
Elle fait son lit et celui de Tadoramour, heureuse de voir qu'il a retrouvé sa tête.

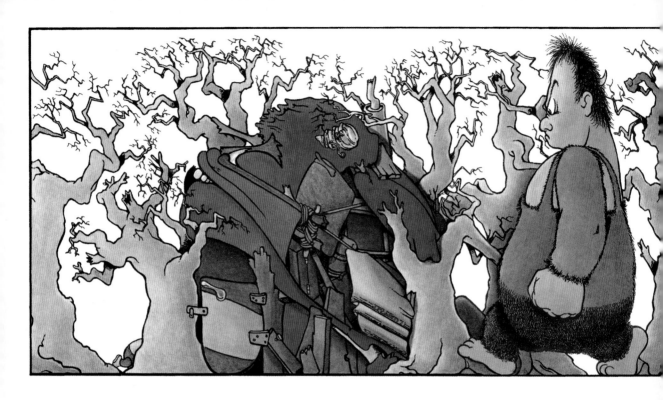

Torlémo Damourédemorht vient chercher du bois pour son fourneau. Il n'est pas content.
Il grogne : « Que se passe-t-il dans mon jardin de bois mort ? C'est quoi ce tas de ferraille ?
Mais… mais, c'est une maison !… »

En voyant Isée, Torlémo dit : « Il y a quelqu'un dedans ! Bonjour, je m'appelle Torlémo.
J'habite ici, par là, je joue à la baloune toute la journée, je mange le soir et je dors la nuit…

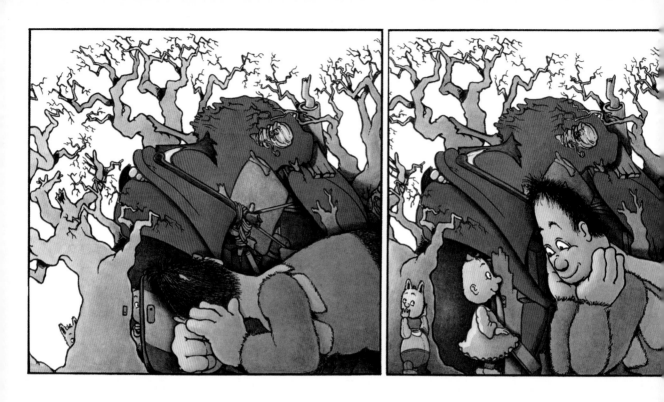

… Tu sais jouer à la baloune ? Ah ! Tu joues à la balle et au ballon aussi…
Si, si, si, c'est pareil que la baloune.
C'est merveilleux, je vais jouer avec toi, moi, hein ! C'est vrai, hein ?
C'est vrai ! Tu joues à la baloune !

Tu t'appelles Isée ? C'est un beau prénom…
Je vais t'appeler Mô-Namour, parce que je t'aime.
J'espère que tu sais pâtisser, Mô-Namour, j'adôôôre les gâteaux… »

« Voici ma maison », dit Torlémo. « On va jouer tout de suite. Je suis si content !
Équipe-toi… À quoi tu veux jouer ? Au golf ? Oui, d'accord, on va jouer au foute.

Attends, je t'aide… Détends-toi, oui, comme ça, attention, je vais fermer…
Oh ! Oh ! Elle va être bien gonflée, ma baloune… »

Toute la journée, Torlémo joue au foute.
Il choutte et rechoutte, et Isée bondit, rebondit, rebonbondit,
rebonbondidit et rebonbondidididit…

À la fin, elle est tournebouliglinguée.
Torlémo est content, il a bien joué.

Il dit : « Fais-moi une tarte aux fraises. »
Et Isée fait une tarte aux fraises.

C'est ainsi tous les jours qui ont un matin,
un après-midi et un soir,
Torlémo et Isée jouent à la baloune.

À la fin de chaque fois,
Torlémo est content,
Isée est plein-tournebouliglinguée.

Le soir, Isée prépare un gâteau.

Et tous les lendemains de tous les jours,
Torlémo et Isée jouent à la baloune.
Ou au badminton.

Parfois, Torlémo joue avec Isée au golf, à la pétanque,
au tennis, au badminton,
au ping et au pong tout en même temps.

Ce qui boume
klonguécrabouille
la bouille d'Isée…

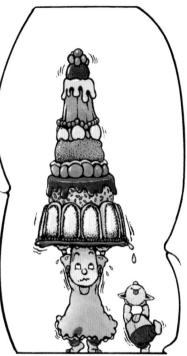

… qui est encore plus plein-tournebouliglinguée.

Elle fait ensuite
un bon gâteau
à sept étages
et un rez-de-chaussée.

Et Torlémo se régale à plat ventre.

Parfois, Torlémo joue si fort avec Isée qu'elle est deux Isée en même temps.

Avant de retomber toute très plein-tournebouliglinguée.

Une étoile, qui est tombée de sa douleur, lui dit que Torlémo n'est pas gentil.

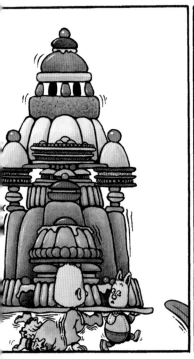  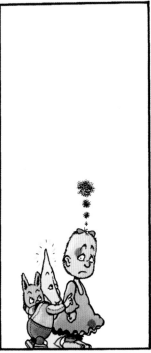 

Isée ne la croit pas
et prépare un gâteau
à neuf étages
et un rez-de-chaussée.

Mais l'étoile insiste :
« Ce ne sont pas
des marques de plaisir…

… que tu as sur le corps,
ce sont des marques
de douleur.

Cela s'appelle
des bleus. »

Isée est fâchée. Elle dit à Torlémo : « Je ne veux plus jouer avec toi, ni que tu joues avec moi. Jamais. Je ne suis pas une baloune, ni une balle de golf ou de tennis ou de ping et pong, je ne suis pas un volant, ni une boule de pétanque, je m'appelle Isée…

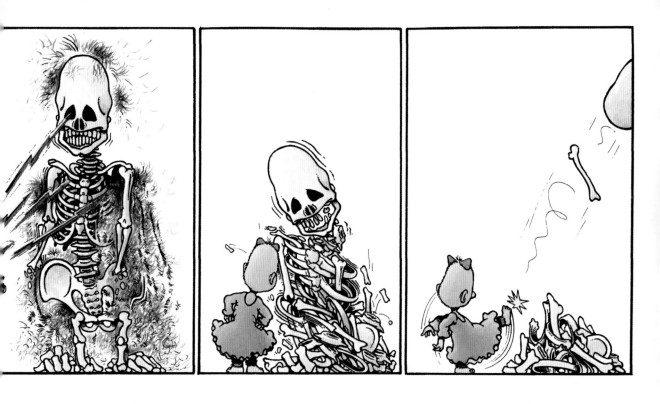

« … et je te tue dans ma vie, je te tue dans mes souvenirs, je te tue dans ton avenir, je te chasse d'eau,
je te poubelle, je te hais, je te couche-culotte pleine ! Meurs, menteur ! Pourri ! Tortémo toi-même !
Tas d'os ! Et tiens ! Puisque tu aimes le foute ! »

Isée s'en va, avec Tadoramour et l'étoile.
Elle traverse un pays étrange où elle et ses amis sont parfois immenses et grands…

… et parfois minuscules et petits. Au bout d'un désert de dunes, elle trouve la sortie
près d'une cuisinière errante.

La sortie passe par un tuyau d'issue gardé par Portillard Tulavi.
Un monstre qui peut planter ses griffes dans un rocher de montagne
comme dans du beurre fondu mou.
Qui peut couper avec ses dents une armure en acier inoxydable de chevalier géant.

Tadoramour a vu les dents de Tulavi. Il dit : « Il a faim, faisons-lui un gâteau ! »
Isée et Tadoramour font chacun un gâteau à l'os broyé, à la crotte de nez gluante,
aux rognures d'ongles sales, au cérumen séché, tartiné à la bave de salive et piqueté de poils,
peluchons et cheveux gras.

Isée et Tadoramour
sortent les gâteaux du four…

… et pénètrent dans le tuyau d'issue.

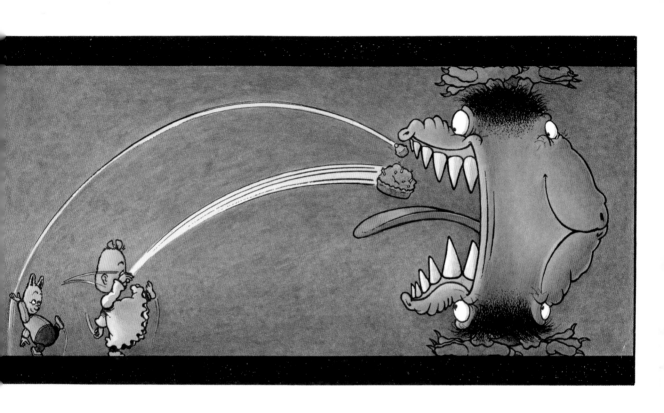

De loin et de toutes leurs forces, Isée et Tadoramour jettent leurs gâteaux
dans la gueule avide du monstre affamé.

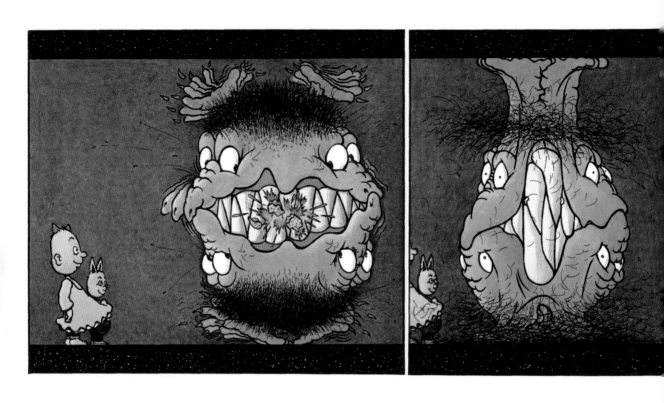

La composition des ingrédients des gâteaux d'Isée et Tadoramour
est justement la seule composition magique unique…

... et ultra-secrète inconnue du monde entier capable de transformer Portillard Tulavi en porte ouvrante et souriante.

À la sortie, le monde a l'air intéressant.
Les arbres sont tranquilles et ne s'endorment pas n'importe où.
Dans le ciel, l'étoile s'entraîne…

… au vol horizontal et à la magie d'ouvrecosse.

Près d'une feuillue penchi-langui, une tirecosse harnachée a envie de se promener.

Et soudain, voilà que les parents d'Isée retombent.
L'accident les avait projetés
si haut et si loin qu'ils ont mis tout ce long temps pour redescendre.

Isée, ses parents, Tadoramour et l'étoile vont fabriquer un véhicule avec une cossavoyage mûre.
Ils y mettront les bagages et les provisions
qu'ils trouvent dans les cossabagages et les cossamangeages.

Ensuite, Isée, ses parents, Tadoramour et l'étoile partent enfin en vacances
vers des lointains ailleurs parfumés, mystérieux, pleins d'aventures sans souci.